Connais-tu ?

Terry Fox

Connais-tu?

Terry Fox

Textes : Johanne Ménard
Illustrations et bulles : Pierre Berthiaume

Catalogage avant publication de Bibliothèque et Archives nationales du Québec et Bibliothèque et Archives Canada

Ménard, Johanne, 1955-

Terry Fox

(Connais-tu? ; 23)
Pour enfants de 8 ans et plus.

ISBN 978-2-89762-260-2

1. Fox, Terry, 1958-1981 - Ouvrages pour la jeunesse. 2. Cancéreux - Canada - Biographies - Ouvrages pour la jeunesse. 3. Coureurs - Canada - Biographies - Ouvrages pour la jeunesse. I. Berthiaume, Pierre, 1956- . II. Titre. III. Collection : Connais-tu ? ; 23.

RC265.6.F69M46 2017 362.19699'40092 C2017-941311-2

Collaboration aux idées de gags: Maude Ménard-Dunn
Révision linguistique: Paul Lafrance
Conception graphique: Céline Forget
Infographie: Marie-Ève Boisvert

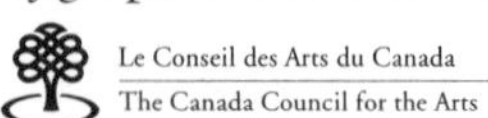

La publication de cet ouvrage a été réalisée grâce au soutien financier du Conseil des Arts du Canada et de la SODEC.

De plus, les Éditions Michel Quintin reconnaissent l'aide financière du gouvernement du Canada par l'entremise du Fonds du livre du Canada pour leurs activités d'édition.

Gouvernement du Québec – Programme de crédit d'impôt pour l'édition de livres – Gestion SODEC

ISBN 978-2-89762-260-2
Dépôt légal – Bibliothèque et Archives nationales du Québec, 2017
Bibliothèque et Archives Canada, 2017

Éditions Michel Quintin
Montréal (Québec) Canada
editionsmichelquintin.ca
info@editionsmichelquintin.ca

1 7 - A G M V - 1

Imprimé au Canada

CONNAIS-TU TERRY FOX (1958-1981), CE JEUNE HOMME COURAGEUX ET DÉTERMINÉ QUI A ENTREPRIS LE MARATHON DE L'ESPOIR AVEC SEULEMENT UNE JAMBE? IL VOULAIT TRAVERSER LE CANADA AFIN DE RÉCOLTER DE L'ARGENT POUR LA RECHERCHE CONTRE LE CANCER.

Terrance Stanley Fox est un garçon tenace. C'est de famille. Dans la maison de Winnipeg, au cœur des Prairies canadiennes, tous veulent avoir le dernier

mot dans les discussions. Terry aime s'inventer des jeux qui n'en finissent plus, comme des tournois de hockey sur table où il joue pour les deux équipes.

Né en 1958, Terry Fox déménage à l'âge de six ans en Colombie-Britannique où son père, aiguilleur de chemins de fer, préfère le climat. La famille s'installe bientôt à Port Coquitlam, près de Vancouver.

Comme ses frères et sa sœur, Terry aime beaucoup les sports, et ses parents l'encouragent dans ses efforts. Natation, soccer, baseball, il entreprend tout avec détermination.

À l'école secondaire, son rêve est de faire partie de l'équipe de basketball. Terry et son ami Doug font tout pour montrer à l'entraîneur Bob McGill qu'ils ont du cœur au ventre.

Tous deux sont cependant de petite taille, et Terry ne démontre pas de talent particulier. Bob l'encourage plutôt à s'entraîner comme coureur de fond.

Terry a une grande confiance en son entraîneur et il suit donc ses conseils, bien que la course ne l'emballe pas du tout. Il n'abandonne pourtant pas son idée de jouer au basketball et il tient à faire

partie de l'équipe, même si on rit de lui et qu'il n'obtient en fin de compte qu'une seule minute de jeu dans toute l'année.

Obstiné, Terry insiste auprès de son ami Doug pour s'entraîner pendant l'été suivant. Ses efforts acharnés finissent par être récompensés et Terry

devient au fil des ans un joueur de basketball respecté. À la fin du secondaire, il remporte même le titre d'athlète de l'année, ex æquo avec Doug.

À l'université, Terry s'inscrit en kinésiologie, l'étude des mouvements du corps humain. Toujours aussi résolu, il réussit encore une fois à se tailler une place comme défenseur dans l'équipe de basketball.

Cependant, après avoir été impliqué dans un accident de la route, il ressent une douleur au genou droit à laquelle il ne veut pas accorder d'importance.

Avec son entêtement habituel, l'important pour lui est de finir la saison de basket. Lorsqu'il se décide enfin à consulter les médecins, des tests montrent qu'il est

très malade. Terry est atteint d'un ostéosarcome, une forme de cancer des os qui peut se répandre très rapidement si on n'intervient pas.

Les parents de Terry sont dévastés. Comment apprendre à leur fils de 18 ans qu'on va lui amputer la jambe en haut du genou ? Et qu'ensuite il devra

subir des traitements de chimiothérapie qui le rendront très malade ? Entouré de sa famille, Terry fond en larmes à l'annonce de la terrible nouvelle.

Mais, grâce à sa force de caractère, il accepte ensuite cette épreuve comme un nouveau défi à relever. La veille de son opération, son entraîneur de basketball lui apporte un article au sujet d'un

unijambiste qui a couru le marathon de New York. C'est à ce moment que le rêve de courir d'un bout à l'autre du Canada commence à germer dans la tête de Terry.

Pendant les semaines qui suivent son amputation, Terry affronte avec courage sa nouvelle réalité. La chimiothérapie est très difficile et lui fait perdre ses cheveux.

La tête couverte d'une perruque, Terry apprend à marcher avec une jambe artificielle. Son moignon est douloureux, mais il ne se laisse pas décourager.

À l'hôpital, il voit autour de lui des personnes, souvent très jeunes, souffrir terriblement et dépérir à cause du cancer. Terry prend de plus en plus conscience de l'importance de la recherche pour

vaincre cette maladie cruelle et trop souvent fatale. Espérant de son côté être maintenant hors de danger, il se demande comment il pourrait aider les autres.

Les trois années qui suivent, Terry s'exerce avec acharnement et démontre que, même avec une jambe en moins, on peut réaliser des exploits sportifs extraordinaires. Joueur combatif dans une équipe

de basketteurs en fauteuil roulant, il s'entraîne aussi à la course longue distance avec une prothèse spécialement conçue pour absorber les chocs.

La chair de son moignon qui saigne, des ampoules au pied, des ongles qui tombent, rien ne l'arrête. Deux pas avec sa bonne jambe et un saut avec sa

jambe artificielle, Terry en vient même à terminer un marathon de 28 kilomètres en août 1979. C'est à ce moment qu'il se sent prêt pour son grand projet.

Il annonce alors à ses parents qu'il veut courir d'un bout à l'autre du Canada afin d'amasser des fonds pour la recherche sur le cancer. Il est déterminé et rien ne le fera changer d'idée. Son amie Rika l'aide

à écrire des lettres pour obtenir du soutien. Une compagnie va fournir une camionnette, d'autres, l'essence, les chaussures de sport ou encore de l'argent pour la nourriture.

Pendant des mois, Terry continue de s’entraîner. Enfin le grand moment arrive. Accompagné de son fidèle ami d’enfance Doug, voici le courageux athlète qui s’envole vers St. John’s, Terre-Neuve, à l’autre

bout du pays. Le 12 avril 1980, par un matin froid et pluvieux, Terry Fox trempe sa jambe artificielle dans l'Atlantique et entreprend son fameux Marathon de l'espoir.

Beau temps mauvais temps, le coureur à une jambe va parcourir près de 42 kilomètres par jour, soit la distance d'un marathon. Conduisant la camionnette qui contient tout le matériel et dans laquelle Terry

peut se reposer, Doug précède son ami sur la route, un kilomètre à la fois. Il prépare des repas copieux et récolte les dons des supporteurs.

Le rêve de Terry est d'amasser un dollar par Canadien, soit plus de vingt millions à l'époque. Au début de son aventure, peu de gens sont au courant

de l'exploit que l'unijambiste veut accomplir. Terry court souvent sur de longues distances sans voir personne pour l'encourager sur le bord de la route.

Mais il vit aussi des moments très émouvants quand il est accueilli dans des communautés qui ont organisé des événements pour amasser des fonds. Terry traverse ainsi les provinces de l'Atlantique :

Terre-Neuve, Nouvelle-Écosse, Île-du-Prince-Édouard et Nouveau-Brunswick. Il fait de plus en plus parler de lui.

Des gens l'invitent à souper, on lui offre des nuits à l'hôtel, des journalistes l'interviewent. Doug a peur que Terry s'épuise. Tout n'est pas toujours au beau

fixe entre les deux amis, car Terry a ses moments d'impatience. Il faut dire que le jeune coureur souffre beaucoup. Il refuse pourtant tout examen médical.

Puis, Darrell, le jeune frère de Terry, se joint au duo au début de juin. Sa présence joyeuse donne un nouveau souffle à l'équipe et détend l'atmosphère.

Darrell court entre les voitures pour récolter les dons et protège son frère des automobilistes qui roulent trop vite.

Terry traverse ensuite le Québec, dont il apprécie les paysages. Après quelques jours de repos à Montréal, il reprend la route vers l'Ontario. La police provinciale

escorte maintenant le coureur. Les dons affluent de plus en plus, car on parle beaucoup de l'entreprise extraordinaire du jeune unijambiste.

À Ottawa, il rencontre le premier ministre du Canada et donne le botté d'envoi à une partie de football professionnel, où les spectateurs l'acclament comme

une superstar. Partout où il est reçu en héros, Terry reste humble et répète : « Ce n’est pas moi qui suis important, c’est le Marathon de l’espoir. »

À Toronto, il fait une entrée triomphale au centre-ville où les travailleurs, à leur heure de lunch, ramassent pour lui les dons des automobilistes. Sur la grande

place publique, 10 000 personnes l’attendent. Le joueur de hockey Darryl Sittler, l’idole de Terry, lui remet son chandail porté au match des étoiles.

Terry poursuit sa route en Ontario vers les grandes villes du sud, puis vers le nord, bravant la chaleur torride. Pour un bout de chemin, il est accompagné par un jeune garçon de 10 ans, Greg Scott, atteint lui

aussi d'un cancer des os et qui a perdu une jambe comme lui. Terry est touché par le courage de Greg, chauve et pâle, qui le suit sur son vélo.

Vers la fin de l'été, une petite toux sèche inquiète le coureur. Terry lutte du mieux qu'il peut mais, un jour, une douleur fulgurante à la poitrine l'empêche

de continuer. Le 31 août 1980, les admirateurs qui longent sa route ne se doutent pas qu'ils assistent aux derniers kilomètres de son Marathon de l'espoir.

Le jeune homme a réussi à parcourir près des deux tiers de la distance d'un océan à l'autre. Il s'agit d'une belle victoire. En route vers l'hôpital, puis dans l'avion qui le ramène chez lui, Terry pense

déjà à la prochaine étape : que sa propre lutte contre la maladie sensibilise encore plus de gens à l'importance de la recherche contre le cancer.

Le cancer des os dont Terry est atteint s'est propagé aux poumons. Les médias diffusent la nouvelle. En une semaine, une grande soirée télévisée est organisée au profit de sa cause.

Plusieurs chanteurs populaires et autres vedettes participent à l'événement. Ce mois de septembre 1980 devient le « mois Terry Fox ». On parle de lui partout.

Au fil des semaines, les honneurs se succèdent pour Terry. Le mal l'envahit cependant de plus en plus. Médailles et prix prestigieux lui sont attribués, dont le titre de Canadien de l'année, décerné par